神奇的科学系列丛书

挖泥土

撰文 [美] 瑞纳·考博
绘画 [美] 布兰顿·雷贝灵
翻译 孙 健

山东科学技术出版社

图书在版编目（CIP）数据

挖泥土／撰文 [美] 瑞纳·考博；绘画 [美] 布兰顿·雷贝灵；翻译 孙健 .—济南：山东科学技术出版社，2012

（神奇的科学系列丛书）

ISBN 978-7-5331-5844-6

Ⅰ.①挖 ... Ⅱ.①瑞 ... ②布 ... ③孙 ... Ⅲ.①常识课—学前教育—教学参考资料 Ⅳ. ①G613.3

中国版本图书馆 CIP 数据核字 (2012) 第 001126 号

Digging On Dirt

图字：15-2011-223

神奇的科学系列丛书

挖泥土

撰文　[美] 瑞纳·考博
绘画　[美] 布兰顿·雷贝灵
翻译　孙　健

出版者：山东科学技术出版社
地址：济南市玉函路 16 号
邮编：250002　电话：(0531)82098088
网址：www.lkj.com.cn
电子邮件：sdkj@sdpress.com.cn
发行者：山东科学技术出版社
地址：济南市玉函路 16 号
邮编：250002　电话：(0531)82098071
印刷者：济南鲁艺彩印有限公司
地址：济南工业北路182－1号
邮编：250101　电话：(0531)88888282

开本：889mm×889mm 1/16
印张：2
版次：2012 年 3 月第 1 版第 1 次印刷

ISBN 978-7-5331-5844-6
定价：9.80 元

目 录

是土还是土壤

穿上靴子走出门，带上铲子去挖泥土吧！你发现了什么？

你会说那是土，但你还会说那是土壤。
土壤是科学家给土起的名字。

周围的土壤

土壤就铺在花园里的青草下面。

土壤覆盖在地球表面的大部分陆地上。

土壤还躺在人行道和公路的下面。

沙滩也是土壤的一种。

泥泞的河岸还有森林中的地面也都是土壤。

土壤的厚度通常都在1米左右，但是有的地方的土壤可能只有十几厘米厚。

赋予生命的土壤

土壤给地球带来了生命，植物把自己的根深深地扎进土壤里去获得水分和营养。

很多动物也生活在土壤里。
蚯蚓和会打洞的土拨鼠要是离开了土壤，就没法活了。

9

你的生活同样离不开土壤。

植物的生长需要土壤，很多动物以植物为食。没有了土壤的话，就不会有我们吃的食物哟！

植物释放出了我们呼吸所需要的氧气。如果没有土壤，植物就无法生存，你也就无法呼吸到氧气了。

11

土壤的成分

那么，土壤里的神奇成分是什么呢？
土壤是由岩石颗粒、空气和水组成的。土壤里还混有植物和动物在死亡、腐烂之后留下的物质。

14

飘落的树叶、树杈和死虫子等都掉落在地上，当它们腐烂后，就变成了黑色、肥沃的腐殖质。

腐殖质在你听来可能非常难吃，但那可是植物的美餐哦。

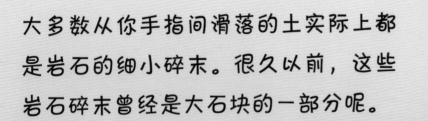

大多数从你手指间滑落的土实际上都是岩石的细小碎末。很久以前，这些岩石碎末曾经是大石块的一部分呢。

大的石块被称为"母料"。这是因为它们是那些形成土壤的小碎末的"妈妈"。